El león y el ratón
The Lion and the Mouse

Adaptación / *Adaptation*: Darice Bailer

Ilustraciones / *Illustrations*: Joan Subirana

Traducción / *Translation*: Madelca Domínguez

SCHOLASTIC INC.
New York Toronto London Auckland Sydney
Mexico City New Delhi Hong Kong Buenos Aires

Había una vez un ratoncito que vivía feliz en una selva muy lejana. Al ratón le encantaba correr y jugar en la selva. Podía escalar, saltar y nadar, y siempre encontraba suficiente fruta para comer al final del día.

Once upon a time there was a happy little mouse who lived in a far away jungle. The mouse loved to run through the forest and play. He could climb, jump, and swim, and there was always plenty of fruit to nibble on when he was done.

Un día, el ratoncito estaba jugando a las escondidas cuando un inmenso león con dientes muy afilados saltó desde unos arbustos y lo acorraló. Con una de sus garras, el león pisó el rabito del ratón y rugió:

—¿Quién anda en mi selva?

⸻ ◦◦◦ ⸻

One day the little mouse was playing hide-and-seek when a huge lion with very sharp teeth leaped out of the bushes and cornered him. Stepping on the mouse's tail, the lion roared, "Who goes there in my jungle!"

El ratoncito comenzó a temblar. El león alzó al asustado ratón por el rabito y lo miró detenidamente.

—¡Miren esto, un ratoncito! —dijo el león.

Abrió su bocaza y justo cuando se lo iba a comer, el ratoncito dijo:

—¡Por favor, no me coma!

The mouse's little nose quivered. The lion picked the frightened mouse up by his tail and took a better look.

"Well, well, well, a little mouse!" the lion said. He opened up his mouth just as the mouse pleaded, "P-p-please don't eat me!"

—¿Y por qué no? —le preguntó el león—. ¡Serás un delicioso desayuno!

Los bigotes del ratoncito estaban tiesos por el miedo. Sabía que tenía que decir algo rápidamente.

<hr />

"And why not?" the lion asked. "You would make a delicious morning snack!"

The poor mouse's whiskers stood out straight with fright, and he knew he had to quickly think of something clever to say.

El ratoncito respiró profundamente y dijo:

—Los amigos chiquitos a veces pueden ser grandes amigos. Si me deja ir, nunca lo olvidaré. Quizás un día pueda devolverle el favor.

El león se quedó sin habla. Nunca había visto a un ratón tan valiente.

Taking a deep breath, the mouse said, "Little friends can be big friends. If you let me go, I'll never forget it. One day I can repay you for your kindness!"

The lion was speechless. He had never seen such a brave mouse.

Finalmente, el león se arregló la melena y puso al ratoncito en el suelo.

—Te perdonaré la vida esta vez —dijo el león—, pero no me puedo explicar cómo una criatura como tú me podría ayudar a mí, el rey de la selva.

Entonces el león lanzó un rugido y se fue.

Finally, the lion tossed his mane and set the mouse down.

"I'll spare you this time," the lion said, "but I don't know how a tiny creature like you could ever be of help to me, the king of the jungle!"

Then the lion roared and ran away.

—¡Uff! —dijo el ratón, recostado en una rama—.
¡Qué alivio!

El ratón se olvidó completamente del león hasta un
par de días después. Estaba colgado de su rabito cuando
escuchó un rugido que le resultó familiar.

—⦿⦿⦿—

"Phew!" said the mouse, leaning on a low branch.
"That was close."

The mouse forgot all about the lion until a couple
of days later. He was hanging upside down by his tail
when he heard a familiar roar.

Unos cazadores habían atrapado al león en una inmensa red. El león, lleno de rabia, se retorcía y aullaba dentro de la red.

—¡Déjenme salir! —rugía el león.

Los cazadores no le prestaban atención y el león no podía escapar.

A group of hunters had trapped the mouse's friend in a large net. Squirming and howling, the lion clawed at the net in a rage.

"Let me go!" the lion roared.

The hunters ignored him, and the lion could not escape.

Los cazadores colgaron la red de la rama de un árbol y se fueron en busca de una carreta donde transportar al león.

"El león necesita mi ayuda", pensó el ratón.

—Sr. León, yo lo salvaré —gritó el ratoncito.

The hunters hung the net from a tree and went in search of a wagon to carry off their lion.

The lion needs my help! the mouse thought, and he *stood up straight and called out, "Mr. Lion, I'll save you!"*

El ratón saltó de rama en rama tan rápido como pudo. Llegó hasta la red y la mordisqueó con sus dientes afilados. El ratoncito rompió las sogas de la red de una en una hasta que hizo un hoyo lo suficientemente grande para que el león pudiera escapar.

Jumping from branch to branch, the mouse hurried over as fast as he could. He chomped down on the net and sawed back and forth with his sharp teeth. The mouse gnawed through one rope and then another until he created a large enough hole for the lion to escape.

El león muy agradecido se dio cuenta de que el favor que le había hecho al ratoncito no había sido en vano. Cuando ya se iba, se volteó y le dijo:

—¡Los amigos chiquitos a veces pueden ser grandes amigos!

—Sí —le dijo el ratón alegremente—. ¡Así es!

The very grateful lion saw that his kindness to the mouse had not been wasted. Turning on his paws to go, the lion said, "I guess little friends can be great big friends!"

The mouse happily agreed, "Yes, indeed!"

ISBN-13: 978-0-545-08369-0
ISBN-10: 0-545-08369-9

26 25 24 23 22   40   17/0

Printed in U.S.A

First Scholastic paperback edition, September 2008